Nous remercions le ministère du Patrimoine canadien,
la SODEC et le Conseil des Arts du Canada
de l'aide accordée à notre programme de publication

 Patrimoine canadien   Canadian Heritage

 Conseil des Arts du Canada   Canada Council for the Arts

ainsi que le gouvernement du Québec
– Programme de crédit d'impôt
pour l'édition de livres
– Gestion SODEC.

Nous reconnaissons l'aide financière
du gouvernement du Canada
par l'entremise du Fonds du livre du Canada
pour nos activités d'édition.

Illustrations:
Marc-Étienne Paquin

Couverture: caricature de l'affiche du film *Matrix*
(© 1999 Warner Bros. Entertainment Inc.
(US, Canada, Bahamas and Bermuda)

Maquette et montage de la couverture:
Grafikar

Édition électronique:
Infographie DN

Membre de l'Association nationale des éditeurs de livres   ASSOCIATION NATIONALE DES ÉDITEURS DE LIVRES

Dépôt légal: 3e trimestre 2011
Bibliothèque nationale du Canada
Bibliothèque nationale du Québec
1234567890 IM 987654321
Copyright © Ottawa, Canada, 2011
Éditions Pierre Tisseyre
ISBN 978-2-89633-179-6
11401

La société secrète
C.D.G.

COLLECTION
PAPILLON

L'auteur tient à remercier
les artisans du programme
Première Ovation
pour leur soutien financier.

**Catalogage avant publication
de Bibliothèque et Archives nationales du Québec
et Bibliothèque et Archives Canada**

Rompré, Hélène, 1978-

    La société secrète C.D.G.

    (Collection Papillon ; 175)
    Pour les jeunes de 9 à 12 ans.

    ISBN 978-2-89633-179-6

    I. Paquin, Marc-Étienne, 1977-   . II. Titre.
    III. Collection: Collection Papillon (Éditions
    Pierre Tisseyre) ; 175.

PS8635.O473S62 2011   jC843'.6   C2011-940861-9
PS9635.O473S62 2011

La société secrète C.D.G.

roman

Hélène Rompré

**ÉDITIONS
PIERRE TISSEYRE**
www.tisseyre.ca

155, rue Maurice
Rosemère (Québec) J7A 2S8
Téléphone : 514-335-0777 – Télécopieur : 514-335-6723
Courriel : info@edtisseyre.ca

1

Talisman

Il s'approche de moi, lentement. Ses yeux sont cruels et luisent dans la pénombre, comme des lasers. Je balbutie quelques mots pour expliquer ma présence :

— *Je viens en paix, mon frère. Je suis ici pour connaître le secret du talisman.*

D'un mouvement brusque, mon interlocuteur me fait comprendre qu'il n'a pas l'intention de dialoguer. Je contrôle ma respiration pour ne pas lui révéler ma peur.

— *Tu as commis une grave erreur en mettant les pieds dans la forêt de Ninam.*

Tu ne repartiras jamais d'ici vivant, me lance l'homme d'un ton menaçant.

— Jérémie?

La voix de Martin, mon professeur, pénètre l'univers de Ninam et interrompt mon duel imaginaire. La forêt perd ses couleurs vives et s'efface pour faire place aux murs beiges de ma classe de cinquième année. Ma vie quotidienne est loin de ressembler à l'univers magique de mon jeu vidéo préféré. Je donnerais n'importe quoi pour y ajouter une dose de mystère, un peu de piquant. Mais c'est toujours la même chose. Jour après jour, semaine après semaine.

— Jérémie, c'est bientôt l'heure de la récréation. N'oublie pas ton « rendez-vous », me rappelle Martin.

J'entends des ricanements derrière moi. Comme toujours. Chaque mardi matin, j'ai un « rendez-vous ». Je suis la risée de la classe parce que tout le monde sait de quel « rendez-vous » il s'agit.

Bref, je me dirige vers l'infirmerie tandis que les autres élèves enfilent leurs vêtements d'hiver pour aller jouer à l'extérieur. En chemin, je me fais intercepter par Charles Bilodeau.

— Tu vas voir Nicole, l'infirmière ?
T'es le seul d'entre nous qui doit la voir…
Est-ce qu'elle baisse tes culottes pour
t'examiner ?

— T'es ben niaiseux, Bilodeau.

Charles Bilodeau est le pire garçon de
la classe. Il est petit, mais il adore me
plaquer contre le mur et me regarder
droit dans les yeux pour déposer ses
insultes le plus profondément possible
dans ma mémoire. Je le laisse faire. Il sait
que je ne me défends jamais. Je suis
l'élève le plus grand et le plus fort de
tous les groupes de cinquième année,
mais je déteste me battre.

— Tu vas voir Nicole parce que t'es
gros ? Est-ce que tu penses vraiment
qu'elle peut te faire maigrir ? Ça prendrait
dix ans, avec toute la graisse que t'as !

Je cherche une réplique mordante à
lui balancer en plein visage… Peine
perdue, je ne trouve rien. C'est toujours
pareil quand Bilodeau s'en prend à moi.
Des dizaines de réponses brillantes me
viennent en tête dès qu'il s'éloigne, mais
sur le coup, je fige.

Je repousse Bilodeau pour qu'il me
laisse tranquille. Il recule, toutefois il
continue de m'insulter :

— T'es rien qu'un hippopotame!

Je pourrais peut-être rétorquer qu'un hippopotame est capable d'écraser un rat, mais j'hésite. Il attrape les feuilles que je tiens, y jette un coup d'œil, éclate de rire, puis les éparpille par terre.

En me penchant pour les ramasser, j'entends une fille menacer mon agresseur:

— Lâche-le, Charles, sinon je vais aller chercher un surveillant!

Suzie Côté-Neblansky. Vice-présidente de l'école. La plus populaire des élèves. Elle répond correctement aux questions et dit toujours ce qu'elle pense. En essayant de me protéger du terrible Charles Bilodeau, elle a probablement de bonnes intentions, mais c'est humiliant pour moi d'être secouru par une fille. J'aurais préféré qu'elle ne se mêle pas de ça. Dire que je suis incapable de me défendre… à mon âge! Avec ma taille!

L'intervention de Suzie fonctionne. Bilodeau s'éloigne sans ajouter un mot de plus. Il faut dire qu'en sa présence, il devient toujours mou et obéissant. Je pense qu'il la trouve à son goût.

Suzie m'aide à rassembler mes feuilles. J'aimerais mieux qu'elle ne les

voie pas : il s'agit de la liste détaillée de tous les repas que j'ai mangés cette semaine. Je dois la montrer à l'infirmière pour qu'elle m'aide à faire des choix alimentaires « plus éclairés ». Heureusement, Suzie me tend les papiers sans se moquer de leur contenu.

— Charles est comme ça avec tout le monde. Il aime terroriser les autres pour se sentir important, m'assure-t-elle.

Je devrais la remercier, c'est certain, mais je suis gêné d'avoir eu besoin de son soutien. Puis elle m'intimide. Trop parfaite. Si seulement j'arrivais à formuler une phrase complète... Je me contente de lui faire un petit signe de la tête.

Suzie ressemble à une des amazones de mon jeu *Talisman*. Ses cheveux noirs sont plutôt courts et retenus par deux barrettes argentées. Elle porte des vêtements de sport qui, sur sa silhouette athlétique, lui donnent l'air d'attendre le signal du départ d'une course. Elle est toute petite, mais elle dégage de la force, de l'assurance, comme Trinity dans *La Matrice*...

— Je voulais justement te parler, Jérémie... Pour te soutirer une faveur, ajoute-t-elle.

12

— Moi?

Je voudrais avoir l'air un peu moins surpris. Faire comme si c'était normal que la plus belle fille de l'école (et même de la planète) ait besoin de moi.

— Bien sûr, qui d'autre que toi? poursuit Suzie. Tout le monde sait que tu es le meilleur en informatique.

Cette fois, inutile de bégayer et de rougir. Suzie a raison : je suis de loin le meilleur pour manipuler tout ce qui possède des «pitons». Ma mère dit toujours que je suis né avec un clavier dans les mains.

— Vois-tu, Jérémie, je suis la présidente du comité du journal étudiant. Et je viens d'avoir une super idée pour que les élèves s'intéressent à ce qui se passe à l'école.

Suzie lève un doigt et l'agite en continuant de parler.

— Je rêve de devenir journaliste et j'ai beaucoup réfléchi à la question : l'avenir de l'information passe par Internet. C'est pourquoi j'ai décidé de m'organiser pour que notre école ait son propre site Web créé par les élèves, pour les élèves. Fini le journal étudiant imprimé sur du papier, ce qui favorise la déforestation et pollue la planète! Nous serons écologiques ET bien informés. Toutes les nouvelles vont être publiées en ligne. Il y aura des articles sur les activités étudiantes, des entrevues avec des professeurs, des comptes rendus d'activités, des forums de discussion...

Elle fait une pause.

— Jérémie, il me faut un associé. Acceptes-tu de devenir le webmestre du nouveau site? Martin est d'accord. Il va nous laisser du temps pendant les heures de classe pour travailler au local d'informatique.

Suzie Côté-Neblansky me regarde en me suppliant presque de lui prêter main-forte. Comment refuser une telle offre? D'abord, c'est la jolie Suzie qui me la fait... Ensuite, son concept est génial!

2

L'infirmerie

L'infirmière m'attend à son bureau,
comme chaque mardi durant la récréation. Elle est gentille, mais je déteste nos
rencontres. Elle me pèse toujours. C'est
déprimant! Cent quarante livres, à onze
ans, c'est beaucoup trop, et Nicole ne se
gêne pas pour le répéter. Il faut que je
décrive et que je note, avec l'aide de ma
mère, chaque portion de nourriture que
j'avale et les minutes d'activité physique
que je fais. La conclusion est toujours la
même : je mange trop, je ne bouge pas
assez, je reste gros. L'infirmière a l'air
déçue de mon absence de progrès.

— Avec ce qui est écrit ici, tu aurais dû perdre du poids. Est-ce que ça t'arrive de tricher? De manger des choses qui ne sont pas sur la liste?

Je baisse la tête. Ma mère fait son possible pour que mon régime fonctionne, mais j'ai trop faim. Je suis incapable de résister! J'ai donc développé des trucs pour prendre des collations en cachette. Par exemple, je vole des bonbons quand je me fais garder chez mes grands-parents!

— La semaine dernière, nous avions convenu que tu irais jouer au ballon avec ton voisin, après l'école. Que s'est-il passé, Jérémie?

— Ça ne lui tentait pas!

Je soupire. Je donnerais n'importe quoi pour être en train de parcourir les labyrinthes de *Talisman*. Pour me sentir comme un guerrier farouche et non comme un délinquant du garde-manger.

— Est-ce que, toi, tu voulais jouer avec lui?

— Non. Je suis *poche*.

— Est-ce que tu essaies de t'améliorer?

— Je comprends que l'exercice est important, mais j'haïs ça! Je fais rire de moi! Je suis essoufflé et j'échappe les ballons. Personne ne veut m'intégrer à son équipe. Les cours d'éducation physique sont des cauchemars...

L'infirmière pince les lèvres, elle doit croire que je suis une cause perdue.

— Qu'est-ce que tu aimes faire après l'école, Jérémie?

— Jouer aux jeux vidéo.

— Tu es bon, là-dedans?

— Je suis le meilleur!

— Alors, arrêtons de parler de sport. Parle-moi plutôt de ta vraie passion...

Nicole ne veut plus discuter calories avec moi? C'est louche! Même si cela semble trop beau, je me lance.

— En ce moment, je suis obsédé par une nouvelle aventure, *Talisman*. Le héros doit non seulement démontrer sa bravoure et se montrer digne de porter le talisman, mais il doit aussi résoudre des énigmes extrêmement difficiles. Je me suis juré d'être le premier garçon de ma classe à terminer le jeu. J'y pense sans arrêt. Parfois, j'ai du mal à m'endormir à force d'y réfléchir.

Pendant que je me confie, l'infirmière continue de prendre des notes qu'elle range dans un dossier portant mon nom. Que peut-elle y raconter à mon sujet? Il me semble que ma vie est trop plate pour gaspiller l'encre d'un stylo.

— Si tu devenais bon en sport, est-ce que tu penses que tu aimerais en faire? Si tu n'étais plus *poche*, comme tu dis...

— C'est impossible! Je suis le pire athlète du monde entier!

L'infirmière glisse mon dossier dans son porte-documents. Je suppose que l'entrevue est terminée, mais elle s'arrête et me regarde avec un sourire mystérieux, prenant une longue pause, comme si elle hésitait à poursuivre la conversation. Sa voix devient presque un chuchotement.

— Est-ce que tu voudrais te joindre à une... société secrète?

Une société secrète? Dans mon jeu vidéo, le talisman sacré est gardé par les membres d'une société secrète. Je ne savais pas qu'un truc de ce genre pouvait exister dans une école primaire!

Devant mon air ahuri, elle sourit de plus belle et approche sa bouche de mon oreille:

— Je ne peux pas te donner de détails, parce qu'on m'a demandé de garder le silence. Alors, c'est oui ou non?

— Oui, mais qu'est-ce que...

Elle place son index sur ses lèvres pour m'inviter à parler moins fort.

— Je ne peux rien dévoiler. Tu as le goût de l'aventure, Jérémie?

— Certainement!

— Alors fonce, tu n'as rien à perdre! Ah, une dernière chose... Personne, à part ses membres, ne doit connaître l'existence de cette société. Évidemment, je devrai en parler à ta mère, c'est la seule exception à la règle. Alors, c'est toujours d'accord?

J'accepte, gagné par une étrange excitation.

Tout le reste de la journée, je repense aux paroles de Nicole. Qu'est-ce que cette histoire de société secrète? C'est une énigme et, cette fois, je ne pourrai pas y répondre en faisant travailler mes méninges ni en fouillant dans le grimoire du druide de Ninam.

À la maison, ma mère m'attend dans la cuisine:

— Tu viens m'aider à préparer le souper, Jérémie?

Depuis le début de mon régime, ma mère m'impose toutes sortes de règles à table. Par exemple, elle exige que je mange en tenant ma fourchette de la main gauche et en comptant cinq secondes entre chaque bouchée. J'ai l'air d'un fou qui parle à son morceau de brocoli : « Je te mange dans cinq, quatre, trois, deux, un... » Si on me donnait le choix, je préférerais dévorer un plat de morue à la framboise aux côtés de la reine d'Angleterre plutôt que d'ingurgiter une purée de légumes avec le protocole imposé chez nous.

Malgré mon visage éploré, ma mère continue à danser dans la cuisine pour sortir les ingrédients du réfrigérateur et les aligner sur le comptoir. Du navet, des tomates, du chou, des oignons...

— Allez, viens m'aider à couper les poivrons, ça va me donner l'occasion de parler avec toi de ta journée.

— Qu'est-ce qu'on va manger ?

— Un couscous à la marocaine.

— Encore des légumes ?

— Oui, mon cher, un bon plat de vitamines bouillies dans une sauce épicée aux saveurs orientales. T'es pas content ?

— Ouache, maman !

— Tu ne peux pas savoir si tu aimes ça ou non, tu n'y as jamais goûté.

Vrai, mais je suis certain que c'est horrible, parce qu'il s'agit d'une autre recette tirée de son instrument de torture préféré : son livre *Cuisine minceur*. Avec sa taille de mannequin, ma mère ignore ce qu'est un régime. J'ai hérité des gènes dodus de mon père. Il est né, lui aussi, avec une dent sucrée et un clavier dans les mains, avant même que les ordinateurs personnels ne soient inventés. Je ne le vois pas souvent, car mes parents

21

sont séparés. Par contre, nous nous envoyons des courriels tous les jours et nous communiquons ensemble grâce à une webcam. Il est informaticien et il habite aux États-Unis.

Ma mère installe une planche de bois et deux poivrons devant moi. Ce soir, impossible d'échapper à mon sort, je devrai manger du couscous.

3

La société
secrète

J'essaie de me concentrer sur mon projet de français et d'oublier le jeu *Talisman,* mais c'est difficile. Je préfère rêver au pays de Ninam et oublier que c'est déjà mardi. L'heure de ma rencontre avec l'infirmière approche...

Martin se promène entre les rangées de pupitres pour surveiller notre travail. Lorsqu'il arrive près de moi, il soulève ma copie dans les airs, fait mine de l'examiner et la replace discrètement sur mon bureau. Il a déposé un papier plié dessus. Je jette un œil autour de moi. Martin s'éloigne déjà. Personne ne me regarde. Je déplie la feuille...

Surprise! Il s'agit d'une série de caractères informatiques, apparemment sans aucune signification. Sûrement un message codé de la société secrète. Martin en fait donc partie? Comment en être certain? Et comment faire pour déchiffrer la note mystérieuse?

Mon prof repasse devant ma place. J'ai envie de l'interroger mais, avant que je n'ouvre la bouche, il me remet en douce une enveloppe. Je l'ouvre et trouve dedans une grille: la clé du code!

Je comprends vite qu'à chaque symbole correspond une lettre de l'alphabet. Je réussis facilement à traduire le message de mon enseignant. Il révèle le lieu et l'heure du premier rendez-vous de la fameuse société. Ce sera durant la récréation. Pas d'infirmière cette semaine!

Martin m'observe avec un air complice et se retourne rapidement, ni vu ni connu. Aucun doute possible, il est bien membre de la société secrète.

La cloche sonne. Comme d'habitude, je prends la direction de l'infirmerie afin de ne pas éveiller les soupçons des autres. Bilodeau me bloque le passage.

— Tu t'en vas où comme ça, mon gros?

— J'ai un rendez-vous.

— Il me semble que tu n'as pas maigri beaucoup ces derniers jours. T'as encore engraissé!

Pour finir, il me bouscule. Je perds pied, mais je retrouve mon équilibre en une pirouette. Aujourd'hui, je n'ai pas de temps à perdre : une aventure m'attend! Pas question de me laisser faire.

— Qu'est-ce qui se passe, Bilodeau, es-tu jaloux? Tu veux venir avec moi voir Nicole? C'est vrai que t'es pas mal petit pour ton âge...

Il me fixe, menaçant. C'est la première fois que je lui tiens tête depuis le début de l'année. Je n'en reviens pas d'avoir été capable de prononcer une réplique intelligente. Ses amis ricanent. Bilodeau essaie de me pousser sur les casiers, mais je suis plus fort que lui.

— Fais de l'air, le hobbit, je suis pressé! dis-je en me dégageant.

J'entends Bilodeau bafouiller une insulte quelconque alors que j'accélère le pas en direction du bureau de l'infirmière. Au bout du corridor, je bifurque subtilement. Je me colle contre le mur et me retourne pour vérifier que personne ne m'a suivi. Je me remémore le message secret :

**Rendez-vous société secrète
mardi local C-4 10 heures.**

Mon cœur bat la chamade. Quelques étudiants bavardent au loin. Des espions ? J'attends qu'ils partent avant de foncer vers le local C-4. Il me semble presque entendre la musique de mon jeu vidéo préféré. Celle qui accompagne mon héros lorsqu'il explore la forêt de Ninam.

Je n'avais jamais réalisé à quel point les corridors de l'école peuvent ressembler à de petits labyrinthes. Tout peut arriver à chaque tournant. Il y a des gens qui surgissent de partout. Deux professeurs viennent droit sur moi. Je dois me cacher dans une salle de classe. Ouf, ils n'ont rien vu ! Il était moins une !

J'atteins finalement ma destination. La porte est fermée et son rideau est tiré. Aucune lumière n'est visible de l'extérieur. Est-ce le bon local ?

Je frappe trois petits coups.

Une voix très grave et solennelle me répond :

— Le mot de passe ?

Je reste silencieux pendant quelques secondes, incertain de l'attitude à adopter. Bientôt, je lance la première chose qui me vient en tête.

— Société secrète !

La porte s'ouvre lentement. Un personnage masqué m'invite à l'intérieur. Il fait noir, mais plusieurs chandelles sont dispersées dans la pièce pour créer une atmosphère mystérieuse.

— Bonjour, Jérémie.

— Martin ?

L'homme masqué parle comme mon professeur. Il pose un doigt sur ses lèvres :

— Chuuut. Viens t'asseoir, on va commencer.

Il y a quatre autres participants que je connais seulement de vue. On me les présente. La plus jeune, Anne-Sylvie, est en troisième année. Un autre, Alix, est en quatrième, et les deux plus vieux, Nassim et Étienne, sont en sixième. Martin enlève son masque et retrouve son ton normal. Il s'assoit sur une table.

— Maintenant que nous sommes tous réunis, vous me pardonnerez mon comportement étrange.

Il prend une pause avant de continuer.

— J'ai eu une discussion avec l'infirmière scolaire qui vous a tous interrogés. Elle m'a dit qu'il y avait beaucoup de moqueries dans cette école. Pas vrai?

Personne n'ose répondre, mais je remarque que tous les élèves de la pièce ont un poids semblable au mien : ils sont un peu enveloppés. Se font-ils crier des noms, eux aussi? Au moins, ils n'ont pas Charles Bilodeau sur le dos!

— Elle et moi avons donc eu l'idée de vous rassembler ici en cachette. Si d'autres élèves l'avaient su, ils auraient peut-être fait des commentaires déplaisants à ce sujet. C'est pourquoi je vous propose de n'en rien dire. Ça explique les messages codés et le masque.

Nous approuvons en hochant la tête tour à tour.

— Même vos meilleurs amis doivent ignorer nos rencontres, parce qu'ils pourraient trahir notre secret.

Pas de danger de mon côté. Je ne vois même pas à qui je pourrais en parler...

Martin se lève tranquillement de la table et marche dans le local, le dos droit, l'air grave.

— Je vous ai regroupés aujourd'hui en vue de fonder une société secrète. Nous aurons pour objectif de bouger et de nous motiver les uns les autres, afin d'apprendre à aimer le sport et être en santé. Ceci, sans avoir à subir de moqueries !

Un silence gêné règne dans la pièce. Je crois que tout le monde est un peu ébranlé. Et déçu...

— Je ne parle pas de grandes performances sportives, précise Martin. Nous allons plutôt nous voir deux fois par semaine, après l'école, pour des activités agréables. Nous pourrons organiser des jeux de rôle ou même simplement marcher en discutant... Alors, qui embarque ? ajoute-t-il en nous invitant à passer au vote.

Les mains se lèvent les unes après les autres.

— Bravo ! Est-ce que tout le monde promet sur son honneur de bien cacher l'existence de notre société ?

Nous sourions et jurons tous fidélité à notre groupe. Ce n'est pas vital, bien sûr... Mais on se sent néanmoins liés, comme si nous venions d'accomplir quelque chose d'unique ensemble.

Le *chef* n'a pas terminé :

— Maintenant, je suis prêt à écouter vos suggestions concernant le nom que prendra notre groupe. Ce nom deviendra le mot de passe officiel pour accéder à notre local.

Un murmure remplit la salle. Nous nous interrogeons tous du regard en pinçant les lèvres. Finalement, Anne-Sylvie propose en riant :

— On pourrait appeler ça le Club des gros.

Il y a quelques protestations. Martin tente de calmer le jeu.

— Ce n'est pas mauvais, Anne-Sylvie, mais c'est un peu péjoratif, c'est-à-dire légèrement insultant. J'aimerais quelque chose de plus positif.

La petite fille semble triste de voir sa proposition rejetée. Alors, j'essaie de lui remonter le moral :

— On pourrait dire que nous faisons partie de la société secrète C.D.G., les trois lettres de « Club des gros » ? Je trouve que c'est plus mystérieux. De toute façon, personne ne saura ce que ça veut dire, sauf nous, bien sûr.

Martin trouve mon commentaire intéressant.

On passe au vote.

Gagné!

Notre première réunion officielle se poursuit calmement. Bientôt, la cloche sonne.

— Membres de la société secrète C.D.G., la séance est levée. Toutefois, nous nous réunirons de nouveau dès cet après-midi, après les cours. En attendant, retournez à vos classes et soyez prudents! Dispersez-vous en rejoignant vos locaux. Évitez de vous faire repérer.

Nous sortons donc un par un. Comme je m'apprête à quitter les lieux, Martin s'approche de moi:

— Jérémie, j'ai besoin de ton aide. Il faut que nous arrivions à trouver des activités intéressantes pour que les membres du club restent motivés. Tu adores les intrigues, les mystères. J'ai donc pensé que tu pourrais me conseiller. Penses-y!

Décidément, ces jours-ci, tout le monde a besoin de moi... D'abord Suzie, puis mon prof. Je suis presque aussi populaire que le génie de la lampe d'Aladin!

4

Une affaire
à résoudre

Aujourd'hui, Martin présente le projet de Suzie Côté-Neblansky, celui du site Internet étudiant. Il demande à tous les élèves de la classe de contribuer à la construction de ce site.

— Je vais placer une boîte de suggestions dans la classe. Vous pourrez y déposer vos commentaires, vos articles et vos poèmes. Bientôt, il y aura un forum sur la page Web et vous pourrez poster des messages en ligne.

Martin précise que Suzie et moi sommes les deux cerveaux de l'affaire. Je ne sais pas si je rêve, mais je crois que Charles Bilodeau pâlit, dévoré par la jalousie.

— Parfait ! conclut Martin. Maintenant, tout le monde prend son cahier de géo. Quant à vous, Suzie et Jérémie, vous avez la permission de travailler à votre site Internet au local d'informatique. Dépêchez-vous ! Les étudiants de l'école veulent tout savoir !

Nous quittons la classe et nous nous mettons en chemin, côte à côte. Je demeure toujours incapable de parler à Suzie. Qu'est-ce que je pourrais lui raconter d'intéressant ? Elle est tellement allumée !

— On pourrait faire du journalisme d'enquête... Tu sais, comme les reportages télévisés sur les scandales politiques.

Ceci dit, elle place un micro imaginaire sous son menton :

— Monsieur le ministre des Finances avait promis d'investir plus d'argent dans le domaine de l'éducation cette année, mais il semble que le budget déposé ne tienne pas compte de cette promesse électorale...

Je rigole timidement.

— Te rends-tu compte, Jérémie, que nous avons aussi des scandales à dénoncer dans l'école? Prends, par exemple, la fontaine près du gymnase. Ça fait des semaines qu'elle ne fonctionne pas et si tu te rappelles bien...

Suzie arrête brusquement de parler. Elle me prend l'épaule pour m'obliger à ralentir. Il y a effectivement quelque chose d'anormal : la poignée du local d'informatique est endommagée. La porte est entrouverte. Nous restons à l'extérieur, adossés contre le mur comme deux espions. Nous tendons l'oreille pour écouter la conversation étrange qui se déroule dans la pièce.

Je jette un coup d'œil discret dans le local. Il y a deux hommes qui conversent. Le premier, je le reconnais, c'est le nouveau concierge de l'école. Il est facile à identifier : il porte toujours un énorme trousseau de clés à sa ceinture et elles cliquettent à chacun de ses pas. Je ne connais pas le second. C'est un homme grand et chauve qui porte un

uniforme bleu. Il prend des notes dans un petit calepin. Un policier...

— Je vous remercie d'accepter de répondre à mes questions, monsieur Bédard, dit calmement l'agent. Dix ordinateurs scolaires envolés en fumée ! Je suis embêté, parce que c'est le deuxième vol du genre en deux mois dans la même commission scolaire. Nous n'avons toujours pas mis la main sur le voleur, mais nous croyons qu'il s'agit du même homme ! Ou femme, bien sûr, nous ne sommes pas sexistes...

Malgré sa remarque rigolote, le policier n'a pas l'air de vouloir plaisanter. Il tourne un feuillet de son calepin et continue :

— Allons-y... Monsieur Raymond Bédard, depuis quand êtes-vous concierge ici ?

— Un mois. Je viens juste de commencer.

— À quelle heure êtes-vous arrivé à l'école ce matin ?

— À sept heures... Comme d'habitude.

— Vous venez ici en voiture ?

— Non, à pied. J'habite tout près.

Le policier pousse un murmure inaudible.

— Poursuivez, monsieur Bédard. Qu'avez-vous vu une fois sur le périmètre du crime?

— Il y avait une camionnette bleue garée sur le stationnement de l'école. J'ai trouvé cela étrange parce que l'endroit est toujours désert à cette heure-là.

— Pourriez-vous me donner une description de cette camionnette?

— Bleu clair, avec un peu de rouille sur les côtés, les fenêtres arrière étaient teintées. Il y avait une longue égratignure au-dessus du pneu arrière gauche.

Je remarque que Suzie a, elle aussi, sorti un calepin et qu'elle prend des notes.

— Qu'avez-vous fait en apercevant ce véhicule?

— Je me suis approché pour voir qui était au volant, mais il a filé. Je n'ai pas pu identifier le conducteur.

— Avez-vous le numéro d'immatriculation?

— Non...

— Est-ce qu'il y avait, sur la neige, des traces de pas indiquant le nombre de voleurs?

— Je n'ai pas pensé à regarder...

Le policier prend une inspiration avant de poursuivre son interrogatoire :

— À notre arrivée ici, nous avons constaté que la serrure du local avait été forcée. Par contre, le système d'alarme n'avait pas été enclenché. N'est-ce pas à vous, monsieur Bédard, de mettre en fonction ce système pour la nuit ?

— J'ai dû oublier de composer le code avant de sortir, hier soir... Comme je suis nouveau, je suis parfois distrait.

— Je n'ai plus d'autres questions. Merci de votre collaboration.

Suzie et moi commençons à nous éloigner pour éviter d'être surpris en train d'écouter aux portes. Tout à coup, le policier rappelle le concierge :

— Une dernière chose, monsieur Bédard. Croyez-vous que c'étaient de beaux ordinateurs, ayant une grande valeur ?

— Je ne sais pas, je ne crois pas...

Les voix des deux hommes se rapprochent. Suzie et moi filons.

Mon cœur s'emballe.

J'ai l'impression d'avoir reçu une décharge électrique.

Je sais qui est le voleur et je sais comment le piéger…

···•◄ (▷±🦉✳〉]) ►•···

Nous arrivons bientôt en lieu sûr. Je tente de reprendre mon souffle. Suzie est surexcitée.

— C'est un *scoop*, Jérémie! La nouvelle qui fera connaître notre page Web! Je vais écrire un article sur le sujet. Vite, dépêchons-nous, je veux que le site soit en ligne aujourd'hui!

Suzie rêve déjà de primeurs et de succès journalistiques. De mon côté, j'ai l'impression que ma bouche est trop sèche pour parler. Néanmoins, je réussis à articuler des phrases complètes:

— C'est sûr qu'il faut se lancer, mais comment? Nous ne pouvons pas travailler à l'école, les ordinateurs ont tous été volés! Nous pourrions utiliser l'ordinateur qui est au fond de notre classe, mais il n'est pas très performant.

— Mouais… Tu as raison. Tu pourrais peut-être utiliser mon portable, chez moi, ce soir?

Une invitation chez Suzie Côté-Neblansky. Le rêve de tous les garçons de la classe 5A! J'ai du mal à croire à ma chance. Je pourrais me pincer pour m'assurer que je n'hallucine pas!

Je donne rendez-vous à Suzie vers 17 heures, à la fin de ma réunion secrète, après les cours.

— Parfait, Jérémie. Mais ce sera l'heure du souper. Veux-tu manger avec moi? Je suis certaine que mes parents seront d'accord.

Je suis très surpris par l'offre et j'ai un moment de doute. Est-ce qu'elle a l'intention d'observer ce que j'avale pour ensuite se moquer de moi devant ses amis?

Non, elle ne ferait jamais ça...

Elle a besoin de moi...

Oh et puis zut!

Assez réfléchi!

J'accepte!

5

L'itinéraire

Je rejoins mes camarades de la société secrète C.D.G. au coin de la rue. Aujourd'hui, pour notre toute première activité, nous allons marcher dans le quartier. Je me suis préparé en m'habillant chaudement. La température est douce et les trottoirs sont déblayés. Ce sont donc les conditions idéales pour se lancer à l'assaut de l'hiver.

Dès que le groupe est rassemblé, j'expose mon plan. Tantôt, nous allons marcher en prêtant une attention particulière aux camionnettes bleues. Dans chaque rue, nous allons répertorier les véhicules qui correspondent à la description faite par le concierge et inscrire les numéros de plaque d'immatriculation pour aider les policiers.

Mais ce n'est qu'une ruse.

Au fond, je cherche uniquement à confirmer ce que je sais déjà... Le voleur d'ordinateurs ne perd rien pour attendre.

Je tends à chacun une feuille de papier et j'explique :

— Martin m'a demandé de l'aider à planifier le déroulement de l'activité. J'ai pensé nous préparer un trajet.

Heureusement, le criminel n'a pas touché à l'ordinateur du fond de la classe ! Grâce à cet appareil, j'ai pu mener ma petite enquête et faire quelques tours de passe-passe informatiques avant d'imprimer la carte du quartier et de surligner en jaune le chemin spécialement choisi...

Le soleil est couché. Nous commencerons donc par arpenter le grand boulevard, celui qui est bien éclairé par des lampadaires, et nous terminerons par les rues résidentielles. Martin prend la tête du groupe et m'invite à discuter avec lui :

— Quelle bonne initiative tu as eue, dit-il. C'est excitant de jouer aux détectives !

— Nous sommes une vraie société secrète, avec une mission spéciale...

Martin prend en note le nom du boulevard que nous sommes en train d'explorer. Aucune camionnette bleue à l'horizon...

— Je vais te faire une confidence, Jérémie. J'ai choisi le métier de professeur par passion, mais c'est tellement plus motivant quand on tombe sur des groupes de personnes agréables et enthousiastes. Cette année, j'ai un plaisir fou avec ta classe. Elle a une belle dynamique. Les élèves ont le goût de participer à des projets. J'ai hâte d'arriver à l'école le matin !

Ça me fait un pincement au cœur d'entendre Martin dire que nous avons une bonne classe. Il est peut-être aveugle ? Peut-être qu'il ne sait pas à quel point Charles Bilodeau gâche la vie de la 5A ?

Bilodeau veut être reconnu comme le roi. Ou plutôt le tyran. Il adore rabaisser les autres. Même ses amis, ou plutôt ses faire-valoir, y passent. Comme un marteau qui frappe inlassablement sur

47

un même clou, il répète à ses victimes qu'elles sont laides et stupides. Bang, bang, bang... Sans arrêt... Il harcèle les filles, les gars, les petits, les grands... Martin ne peut probablement pas comprendre, mais j'aurais vraiment du plaisir à fréquenter l'école si je n'avais pas à côtoyer ce terroriste.

— Nous aurions une meilleure classe si certaines personnes savaient tenir leur langue, dis-je en soupirant.

— Je sais que tout n'est pas parfait, répond Martin. Moi aussi, j'ai eu de la difficulté avec des petits *bums* quand j'avais ton âge. J'étais tellement menu et délicat qu'on me surnommait « Bambi ». J'étais très sensible et, parfois, je rentrais chez moi en pleurant ! Mais ne t'inquiète pas, ça passe quand on trouve de la confiance en soi !

Martin me fait un clin d'œil, sans doute amusé de me voir aussi surpris par son ancien surnom. Je n'arrive pas à imaginer que quelqu'un l'ait déjà insulté pour son apparence. Aujourd'hui, il est fort, il a l'air sportif...

— Tu as des talents, Jérémie. C'est à toi de les développer. C'est toi qui décides. Tu es à un âge où tout peut changer ! Regarde, une camionnette, là-bas...

Des flocons de neige tombent doucement. Je me rends compte qu'il est déjà quatre heures et demie. Nous faisons de l'exercice depuis trente minutes et je n'ai pas vu le temps passer.

Nous approchons de ma véritable destination.

Celle dont je n'ai parlé à personne.

— Nous sommes sur quelle rue, Martin ? se renseigne Anne-Sylvie.

— La rue Sansterre.

C'est bien ici ! À force de parler, je me suis presque laissé distraire de mon objectif. Je dois maintenant m'éloigner du groupe sans que Martin le remarque. Heureusement, il fait noir à cette heure-ci. Vive l'hiver !

Je cherche des yeux le 55, rue Sansterre. Le domicile de Raymond Bédard. En effet, j'ai décidé de profiter de la sortie de la société C.D.G. pour mener mon enquête personnelle chez le concierge de l'école. Il faut faire vite... Je n'ai que quelques minutes pour inspecter les lieux.

En fait, je suis persuadé que monsieur Bédard a menti. Je ne l'ai pas avoué à mes camarades de la C.D.G., mais je crois qu'il n'y a jamais eu de camionnette bleue dans le stationnement. Le concierge a inventé cette histoire de toutes pièces pour tromper le policier.

C'est sur le site de Canada 411 que j'ai trouvé l'adresse de notre concierge. Rien de plus facile : le R. Bédard de la rue Sansterre était le seul à vivre assez près de l'école pour y venir à pied...

Je m'approche de la résidence. Ma respiration accélère. Je ne me suis jamais senti aussi proche d'un personnage de film ou de jeu vidéo. Sauf qu'eux ont des boucliers et qu'ils sont souvent sous la protection de magiciens. Puis ils n'ont qu'à boire un élixir pour reprendre des forces lorsqu'ils en ont besoin ou encore à se téléporter hors de la Matrice, comme Neo. Moi, je rôde tout seul autour de la maison d'un voleur. Je dois faire vite avant que Martin ne s'aperçoive de ma disparition. Je risque d'être puni, obligé d'aller en retenue, ma mère va peut-être même être convoquée au bureau de la directrice...

N'empêche, je suis le seul à pouvoir trouver le criminel. J'aurais pu le dire au policier tout à l'heure, mais j'étais bien trop gêné de le faire devant Suzie. Des plans pour qu'elle écrive un article sur moi!

Je jette un coup d'œil à l'intérieur de la demeure de monsieur Bédard, par la fenêtre du sous-sol. Les lumières sont éteintes, mais je crois entrevoir des formes d'écrans. Je plisse les paupières afin de mieux les distinguer.

Aïe! Je sens une main sur mon épaule!

— Qui t'a donné la permission de quitter le groupe, jeune homme?

Martin est très contrarié.

— Nous avions un accord, Jérémie. Nous sommes ici pour nous amuser, pour prendre l'air. Pas pour aller déranger les gens du voisinage. Allez, viens...

Je le retiens par la manche alors qu'il s'apprête à retourner auprès des autres élèves :

— Attends, ici, c'est chez monsieur Bédard. J'ai vérifié sur Canada 411. Regarde : les ordinateurs du local d'informatique sont tous là.

Martin s'esclaffe.

— Quoi ? Tu te prends pour Sherlock Holmes ?

— Non. Regarde. Juste une demi-seconde. S'il te plaît...

Intrigué, il s'agenouille dans la neige et approche son visage de la minuscule fenêtre de la cave. Il s'attarde, parce qu'il est impossible de bien identifier les objets dans la pénombre. Puis, il me fait signe de le suivre et nous nous éloignons. Lorsque nous rejoignons le groupe, je suis assailli par mes amis qui me demandent ce que j'ai vu. Tout le monde est secoué par ma réponse.

— Wow ! Comment as-tu fait pour trouver le voleur ? m'interroge Étienne.

— Monsieur Bédard a dit au policier qu'il ignorait si les ordinateurs volés étaient bons. C'est faux! L'école venait tout juste de remplacer ses ordis. Or, il le savait très bien : c'est lui qui les a reçus. Un jour, je suis entré dans le local et il était en train de sortir les nouvelles tours de leur boîte en compagnie de la directrice. Bref, c'est un menteur!

Martin, qui est resté silencieux jusqu'ici, prend la défense du concierge.

— On dirait bien qu'il y a des ordinateurs dans le sous-sol de ce monsieur, certes, mais ça ne prouve rien! D'après notre système de justice, on est innocent jusqu'à preuve du contraire. Les ordinateurs que nous avons vaguement observés peuvent provenir de n'importe où. Tout ce que je peux faire, c'est aviser la directrice de l'école et lui conseiller d'avoir l'œil sur monsieur Bédard. Maintenant, il faut rentrer!

— Non, Martin, tu ne comprends toujours pas... Je suis *sûr* que c'est lui! Et je peux le prouver!

Mon professeur me fixe gravement. Je vois dans son regard qu'il attend la suite.

— Après le premier vol dans la commission scolaire, il y a plusieurs semaines, j'ai pris l'initiative d'installer un logiciel de *tracking* sur un des ordinateurs de l'école. Lorsque le voleur voudra se connecter à Internet avec cet ordinateur, un signal GPS sera activé. Je saurai automatiquement, par courriel, où se cache le butin.

— Pardon ? Jérémie, ça n'existe pas des...

— Oui ! Je peux même te donner l'URL de la compagnie TRACK si tu ne me crois pas ! La dernière fois que des ordinateurs ont été volés, j'en ai discuté avec mon père. C'est lui qui m'a parlé de la nouvelle vague de logiciels antivols avec GPS intégrés. C'est sa compagnie qui les fabrique ! Je sais que ce n'était pas bien d'en implanter un sans permission, mais je voulais aider...

Martin reste bouche bée. Quant à Alix, Étienne, Nassim et Anne-Sylvie, ils m'applaudissent. Je ne sais pas si les policiers vont me croire aussi facilement que les membres de la C.D.G. À écouter la réplique de mon prof, il est évident que non. Cette affaire ne fait que commencer.

— Accuser quelqu'un de vol n'est pas un jeu, les amis. C'est très grave. Pour l'instant, nous allons tous rentrer gentiment chez nous. Vos parents vous attendent. Je parlerai aux policiers de tout cela quand j'en aurai l'occasion. Pour tout de suite, allez, ouste, filez !

Bref, il me faut trouver d'autres preuves. Sinon, on ne me prendra pas au sérieux. En attendant, au moins, notre objectif a été atteint : nous avons marché, et même couru, pendant une heure entière sans voir les minutes passer.

6

Chasse à l'homme

Un frisson de gêne me traverse devant la porte de la maison de Suzie. Malgré tout, je sonne et mon amie m'invite à entrer. Elle me présente à sa famille en précisant que je suis un talentueux webmestre. Ses parents semblent ravis de me recevoir. Ils nous interrogent longuement sur notre projet de site Internet. Puis on s'installe à table.

J'ai un moment de frousse en apprenant qu'ils ont cuisiné un «goulache». *Un goût ouache*, ai-je pensé. Heureusement, on m'explique rapidement que c'est un simple ragoût de bœuf à la hongroise. C'est très bon.

Après le repas, je prends les commandes de l'ordinateur familial en compagnie de ma coéquipière. Nous entamons la construction du site de l'école. Je voudrais en profiter pour lui raconter ma journée trépidante, mais je ne peux trahir mon serment envers la société.

En travaillant, toutes sortes de plans me trottent dans la tête. Comment faire pour piéger monsieur Bédard? Dès que Suzie quitte la pièce pour aider sa mère à vider le lave-vaisselle, j'envoie un courriel aux membres de la société C.D.G., à l'exception de Martin et d'Anne-Sylvie, qui est trop petite pour avoir une adresse électronique.

De :   princedeninam@yahoo.ca
Objet : mission C.D.G.
À :   alix.letendre@hotmail.com
          nnabil@wanadoo.fr
          lonsardetienne@gmail.ca
Date : Mardi 7 mars 2011, 18 h 38

Bonjour,

Je propose que nous commencions une enquête virtuelle pour amasser des preuves contre le concierge, monsieur Raymond Bédard.

Vous pourriez, par exemple, visiter les sites de petites annonces et vérifier si quelqu'un du quartier essaie de vendre une grande quantité d'ordinateurs pratiquement neufs.

De mon côté, je vais contacter mon père, un as d'Internet. Ensemble, nous fouillerons le passé du suspect.

Ceci dit, à mardi pour la prochaine réunion.

Et n'oubliez pas de détruire ce message top secret,

Jérémie

Suzie entre dans la pièce au moment où j'appuie sur la touche «envoyer». Elle n'a pas le temps de lire le message, mais elle voit les adresses du bottin de mon hotmail. Suzie devient méfiante.

— Pourquoi tu communiques avec des gens de quatrième et de sixième année ? Je ne savais pas qu'ils étaient tes amis.

Heureusement, je réponds avec aplomb au lieu de rougir et de bégayer.

— Bien sûr que ce sont mes amis. Nous échangeons des trucs pour résoudre les énigmes du jeu *Talisman*.

Elle ne fait aucun commentaire, mais je sens qu'elle n'est pas entièrement convaincue de ma sincérité.

La soirée passe et la création du site avance. Je finis par dire au revoir à Suzie et à sa famille pour prendre le chemin du retour. J'ai hâte de rentrer à la maison afin de communiquer avec mon père. Il sera content d'apprendre que son logiciel de *tracking* permettra peut-être de trouver un voleur.

Je n'ai pas vu mon père en personne depuis l'été dernier. Durant les grandes vacances, je passe habituellement quelques semaines avec lui, en Californie, aux États-Unis. J'adore ça, car il m'emmène souvent à son bureau. Il y a tellement d'ordinateurs à la fine pointe de la technologie, là-bas, que j'y suis aussi heureux qu'un poisson dans l'eau !

Ma mère dit qu'elle s'est séparée de mon père parce qu'il travaillait tout le temps et qu'elle ne le voyait jamais. Moi, je n'ai pas ce genre de problème. Chaque fois que j'ai envie de lui parler, j'ouvre mon ordinateur et, grâce à la magie de la webcam, je parle à mon père en direct.

Le voilà justement, sur l'écran de mon ordi, dans la pénombre de ma chambre, alors que je viens à peine de retirer mon manteau et mes bottes. Il a l'air fatigué, mais il sourit. Nous pouvons bavarder comme si nous étions face à face. Derrière lui, des gens s'agitent.

Mon père est ravi de prendre quelques minutes pour écouter mon histoire, mais il ne semble pas aussi emballé que moi à l'idée de traquer un voleur. Pour qu'il accepte de participer à l'enquête, je dois lui promettre à plusieurs reprises que je me contenterai de jouer les inspecteurs sur le Net. Puis, ensemble, nous visitons plusieurs sites, comme Facebook, dans l'espoir d'en apprendre plus sur le compte de monsieur Bédard. Malheureusement, il n'existe aucune association des concierges scolaires du Québec!

Soudain, ma mère m'appelle du salon. C'est l'heure d'aller au lit. Je dois abandonner mes recherches à contre-cœur. Zut! Je commençais tout juste à me sentir maître du Web, comme les disciples de Morpheus... Je souhaite bonne nuit à mon père et je vais me coucher. J'ai du mal à trouver le sommeil : mon cerveau bouillonne!

···•◀ (▷±🦉✳ ⋎]) ▶•···

Le lendemain matin, ma mère m'oblige à m'asseoir avec elle pour déjeuner. Elle me parle, parle, parle alors que je n'ai qu'une envie : ouvrir ma boîte de messagerie.

Dès que j'ai la permission de sortir de table, je me précipite vers l'ordinateur. Il y a deux courriels dans ma boîte de réception.

Dans le premier, Alix m'écrit qu'il a déniché une série de petites annonces suspectes. Elles ont été placées en ligne sur différents sites par la même personne, avec le même pseudo et les mêmes coordonnées. De plus, elles ont été mises en ligne environ à la même heure. Toutes offrent des ordinateurs neufs de marque identique.

Le second courriel provient de mon père. Selon ses recherches à travers différents médias en ligne, des vols similaires à celui sur lequel nous enquêtons ont eu lieu dans plusieurs commissions scolaires des environs. Il est donc possible que nous soyons confrontés à un réseau bien organisé.

Je réponds à mes complices, Étienne, Alix et Nassim:

De: princedeninam@yahoo.ca
Objet: mission C.D.G.
À: alix.letendre@hotmail.com
          nnabil@wanadoo.fr
          lonsardctienne@gmail.ca
Date: Mercredi 8 mars 2011, 8 h 00

La seule solution pour attraper les voleurs est de joindre l'annonceur découvert par Alix et de faire comme si nous voulions acheter un des ordinateurs. Une fois sur place, il faudra insister pour que l'appareil soit connecté à Internet. Dès que le bon ordinateur sera branché, le logiciel de tracking prouvera qu'il s'agit bien d'un appareil de notre école.

Chacun d'entre nous a une chance sur dix de tomber sur l'ordi qui est muni du logiciel de tracking.

Je passe en premier.

Jérémie

63

En appuyant sur la touche «envoyer», je me rends compte que mon plan a une faille. Monsieur Bédard se méfiera si un enfant seul se présente chez lui. Je devrai donc convaincre un adulte de jouer au client mystère. Mais qui? Je dois éviter de mettre mon père au courant, car il m'accusera d'avoir trahi ma promesse. Et si j'arrivais à emmener ma mère?

7

Passé trouble

Le soir même, après l'école, mon doigt se pose sur la sonnette. Quelques secondes plus tard, la porte s'entrouvre dans un interminable grincement.

C'est bien lui : monsieur Bédard !

La scène se déroule exactement comme dans un jeu vidéo. Il s'approche de moi. Lentement. Ses yeux sont cruels et luisent tels des lasers dans l'obscurité. Est-ce qu'il me reconnaît ? Peut-être... Après tout, il m'a croisé à plusieurs reprises dans les corridors de l'école.

Je dois rester le digne porteur du talisman. Ce n'est vraiment pas le moment de flancher. L'ennemi est si près de moi... La victoire aussi...

— Nous venons pour la petite annonce, déclare ma mère. C'est bien vous, La Mouette?

Raymond Bédard opine du menton. La Mouette est bien son pseudo. Il nous laisse entrer dans sa maison. Son regard perçant se pose sur moi. Une goutte de sueur perle sur ma tempe. J'espère qu'il ne la remarquera pas.

Ma mère continue de faire la conversation à notre hôte. Elle ignore la vraie raison de notre présence ici. C'était trop risqué de tout lui raconter: elle aurait peut-être refusé de mettre les pieds dans le repaire d'un bandit. Toutefois, comme mon père m'a offert de l'argent pour m'acheter un nouvel ordinateur à Noël, je n'ai eu aucun mal à la convaincre de répondre à l'annonce.

— Mon fils est un petit génie en informatique, dit maman. Il m'a juré que votre ordinateur était ce qu'il y a de mieux sur le marché en ce moment...

J'aimerais qu'elle se taise pour éviter d'éveiller les soupçons de Raymond

Bédard. Celui-ci parle peu. Il grogne et nous fait signe de le suivre à l'intérieur.

Il a installé un des ordinateurs sur la table de la cuisine. Flûte! J'aurais préféré aller au sous-sol où se cache le reste du butin. Pourvu que je sois chanceux et que l'ordi devant moi soit celui où j'ai téléchargé le logiciel!

Mine de rien, j'interroge le concierge sur les caractéristiques de l'appareil. La force du disque dur, la carte mémoire, les logiciels qui sont déjà installés... Je dois me retenir pour éviter de pouffer de rire, car il répond n'importe quoi!

Puis je fonce:

— Une dernière chose. J'ai apporté mon modem et mon routeur. Je voudrais faire des branchements et vérifier que tout est compatible. Est-ce que c'est possible?

Monsieur Bédard prend une longue inspiration. A-t-il deviné mes intentions? Il finit par parler après un silence interminable:

— Ça risque d'être long et je suis pressé, gamin. Je n'ai pas que ça à faire.

— Je dois absolument faire les branchements et me connecter à Internet avant de me décider à acheter.

— Voyons, Jérémie, intervient ma mère. Ce n'est pas un peu capricieux de ta part ?

Zut ! Voilà que maman me complique les choses. Je dois être plus persuasif. Confiance, Jérémie. Confiance…

— Maman, j'ai juste assez de sous pour m'acheter un ordi neuf. Je n'ai pas les moyens de me payer un nouveau modem et un nouveau routeur. Alors je dois vérifier que tout marche bien, sinon je risque de gaspiller mon argent.

Ma mère est une grande économe. Je sais que les mots « argent » et « gaspiller » dans la même phrase la font frissonner d'horreur. Elle plaide soudain ma cause auprès du concierge.

D'un geste agacé, monsieur Bédard abdique et me permet de faire ce que je veux.

À ce moment, je sais que mon visage a hurlé « victoire ». Monsieur Bédard ne m'a pas vu. Il était déjà en train de faire de la place sur sa table de cuisine.

Reste à espérer que cet ordi est le bon !

8

Les justiciers

La rumeur se répand comme une traînée de poudre. Il s'est produit un événement d'importance dans l'école au cours de la semaine. Les policiers sont venus arrêter le concierge pendant l'heure de la récréation et l'ont emmené dans leur voiture, menottes aux poings.

Je suis fier de ce que j'ai accompli avec l'aide de la société C.D.G. Par contre, lorsque la directrice de l'école l'a convoquée, ma mère a été déboussolée

d'apprendre que j'avais contribué à l'arrestation d'un voleur en transgressant les règlements, c'est-à-dire en installant un logiciel secret sur un ordi appartenant à l'école et en poursuivant le bandit. Elle a piqué une colère. Elle m'a reproché ma témérité dans toute cette histoire.

J'ai dû baisser le menton et promettre à maman et à la directrice que je serais plus prudent à l'avenir. Sur quoi la directrice m'a adressé un discret clin d'œil. Puis, une fois à la maison, ma mère a soulevé ma tuque humide pour me coller un gros bisou sur le front et m'a murmuré à l'oreille : « Bien joué mon grand ! »

Bien sûr, j'ai demandé à toutes les personnes concernées de taire mon rôle dans cette affaire. Je n'aime pas attirer l'attention sur moi. J'ose à peine imaginer ce que Charles Bilodeau inventerait pour me rabaisser s'il apprenait que je suis un vrai cyberdétective. Lorsqu'il est jaloux, il est encore plus méchant que d'habitude.

Aujourd'hui, après la première cloche, on nous annonce que la directrice veut s'adresser aux élèves par l'interphone.

— Chères étudiantes et chers étudiants, comme vous le savez peut-être, un vol a été perpétré dans notre école. Heureusement, ce crime a été résolu cette semaine...

Je suis un peu nerveux. Et si la directrice oubliait mon désir de garder l'anonymat? J'observe Martin. Il semble surpris, comme s'il n'avait jamais entendu parler de cette affaire. C'est un bon comédien, car il sait tout depuis le début. C'est même à lui que la société a remis les preuves amassées et c'est lui qui a parlé aux policiers. Il paraît que ces derniers cherchent maintenant à prouver la complicité de monsieur Bédard dans tous les vols qui ont eu lieu dans la commission scolaire.

Quant à la directrice, elle poursuit son message:

— Même s'ils ont manqué de prudence, je tiens à remercier du plus profond de mon cœur les élèves de la société secrète C.D.G. qui ont facilité le travail des enquêteurs. On m'a dit... que je ne pouvais pas les nommer... pour ne pas nuire à leurs activités. Je les appellerai donc «les justiciers». Je sais qu'ils sont parmi vous en ce moment et qu'ils se reconnaissent. Je parle au nom de tout le monde quand je vous dis encore une fois «merci». Tous les ordinateurs manquants ont été retrouvés au domicile du voleur. Le local d'informatique a déjà été réaménagé ce matin pour que les projets scolaires reprennent le plus rapidement possible. Sur ce, je vous souhaite à tous une bonne journée!

Un petit bip! nous indique que la directrice a terminé son discours et que l'interphone est éteint. Pendant que Martin remplit le tableau d'équations, plusieurs élèves se mettent à chuchoter et interrogent leurs voisins de pupitre pour savoir s'ils ont déjà entendu parler d'une société secrète. Je suis obligé de couvrir ma bouche avec ma main pour éviter que mon sourire ne me trahisse. Je suis, après tout, le seul membre de la C.D.G. dans le groupe 5A.

Dès que la cloche de la récréation sonne, Suzie Côté-Neblansky s'approche de moi, surexcitée.

— Viens, Jérémie, nous n'avons pas une minute à perdre! C'est un *scoop*, le rêve de n'importe quel journaliste! Il faut absolument que nous soyons les premiers à trouver et à interviewer les membres de la société secrète C.D.G. Tu vas m'aider...

En deux temps, trois mouvements, Suzie et moi sommes au local d'informatique. Nous contemplons notre nouvelle page Web. Il y a beaucoup de couleurs, le logo de l'école et, juste au-dessous, une devise que nous avons choisie ensemble : « L'information, un besoin primaire. » Toutefois, il n'y a toujours aucun contenu. Ce n'est qu'une question de temps, car Suzie est très inspirée par cette histoire de vol. Elle brûle d'envie d'en savoir plus pour entamer la rédaction de son tout premier article.

— Concentrons-nous, Jérémie ! Il doit sûrement y avoir un moyen de débusquer les membres de cette société secrète.

Suzie désire tellement percer le mystère ! Elle réfléchit, la tête enfouie entre ses mains.

— Je sais ce que je vais raconter dans mon article. Je vais résumer ce que la directrice nous a dévoilé ce matin. Ensuite, je vais m'engager publiquement à enquêter sur la société secrète C.D.G. Je vais promettre des révélations chocs. De cette façon, les lecteurs vont consulter régulièrement notre site Web et ça va être un succès instantané !

Plus Suzie parle, plus elle m'inquiète. Elle n'a pas le goût de plaisanter, c'est certain! Comment réagirait-elle en apprenant que notre désormais célèbre société est, en fait, un club d'enfants ayant des problèmes de poids? Nul ne le sait.

— Et comment comptes-tu découvrir qui sont ces gens?

— Ben..., d'abord tu es là pour m'aider, Jérémie. Chose sûre, nous allons fouiller dans le bureau de la directrice. Peut-être qu'elle a des documents sur ce regroupement...

Je sursaute! J'ai déjà enfreint assez de règlements, même si c'était pour une bonne cause.

— Tu n'as pas peur qu'on se fasse prendre la main dans le sac? Qu'on nous inflige la punition du siècle pour avoir fouillé dans un bureau? Que nos parents soient convoqués...

— Ouais, ouais... Tu as raison, ce ne serait pas brillant ...

Elle se rembrunit. Je cherche désespérément une solution pour l'encourager.

— La directrice a dit que la C.D.G. est un groupe de justiciers. Ce sont probablement des petits «batmans» qui patrouillent dans l'école pour faire régner la paix. Il y a forcément un truc pour les démasquer. Peut-être qu'ils se manifesteront si tu écris quelque chose à leur sujet sur notre site ?

Sans piper mot, elle commence à taper un article. Son regard est fixe, braqué sur l'écran. En voyant un sourire futé se dessiner sur son visage, je sens qu'il sera difficile pour notre société de résister à Suzie Côté-Neblansky.

— Maintenant que j'y pense, nous devrions proposer à toute la classe de nous assister. Martin a placé une boîte à suggestions sur son bureau. Nous pourrions inviter les élèves à y déposer toute information pertinente sur la C.D.G. De cette façon, on trouvera peut-être une bonne piste, lance-t-elle tout en tapant son texte.

Devrais-je placer dans la boîte un message qui enverrait Suzie dans la mauvaise direction ? Ainsi, elle serait de bonne humeur et je n'aurais pas à trahir mon secret.

Est-ce que ce serait trop risqué ?

Je ne sais pas.

Je ne sais plus.

Comment choisir entre mon amitié pour Suzie et mes obligations envers la C.D.G.?

9

Journaliste
en herbe

Le lendemain matin, l'école en entier n'a que trois lettres à la bouche : C, D et G. L'article de Suzie a été lu par plusieurs élèves. Selon la rumeur qui circule, il existe dans l'école une société secrète composée d'élèves braves, au grand cœur, qui parcourent les corridors à la recherche de problèmes à résoudre et d'injustices à réparer. L'article demande à la communauté étudiante de communiquer tout indice permettant d'en apprendre plus sur les activités de ce groupe.

La rédactrice en chef de notre site Web vient me parler directement à la sortie de l'autobus scolaire. Je remarque du coin de l'œil que Charles Bilodeau ne nous quitte pas du regard. Par ailleurs, je me rends compte qu'il ne vient plus se moquer de moi depuis que Suzie est devenue mon amie. Dans le fond, la vie n'est pas très différente des jeux vidéo. Mon amitié avec Suzie, c'est le talisman qui me protège du monstre !

— C'est merveilleux, Jérémie. Nous avons eu cinquante visites sur notre nouveau site Web depuis sa création ! Il faut absolument que je trouve plus d'informations sur la C.D.G.

— As-tu appris quelque chose de nouveau ?

— Pas encore...

Malgré tout, Suzie ne se laisse pas décourager et poursuit son enquête. Pendant l'heure du dîner, elle place un nouvel article en ligne et fait appel à ses lecteurs pour l'aider à résoudre l'énigme C.D.G.

Toutes les classes sont captivées par le mystère. Dans l'après-midi, j'entends même Charles Bilodeau se vanter qu'il fait partie de la fameuse société secrète. Je dois me retenir pour ne pas rigoler. J'ai envie de dénoncer son mensonge, mais je me tais. Pendant qu'il est occupé à se prendre pour un superhéros, Bilodeau n'insulte personne. C'est toujours ça de gagné.

Vers l'heure du souper, ma mère m'attend de pied ferme pour que nous cuisinions ensemble une de ses nouvelles recettes : des dattes farcies à la ricotta faible en gras avec un accompagnement de boulgour sauté aux pignons.

— Ça a l'air délicieux, maman !

À ces mots, ma mère s'immobilise et me lance un regard soupçonneux. Elle cherche à savoir ce qui cloche avec moi. Comment lui expliquer que je suis tout simplement heureux ?

— Tu n'as pas peur de goûter à un plat... de boulgour ?

— Tant que ce n'est pas vert et poilu, je veux bien essayer d'en manger.

Elle sourit, mais semble méfiante. Avec raison. Comme ça va mieux à l'école, je suis plus conciliant. Mais est-ce que tout cela va durer?

10

Espionnage

Mardi, 10 heures. Je parcours le grand labyrinthe à destination du local C-4. Le corridor est désert. Je suis calme. Aucun obstacle à l'horizon. Je n'entends rien, à part les cris lointains des autres qui jouent à l'extérieur. Tout va bien. J'avance. Je frappe à la porte, doucement. Un coup, deux coups, trois coups. Je murmure le mot de passe. Martin me laisse entrer. Presque tout le monde est là. Il ne manque qu'Étienne et la réunion pourra commencer. On attend, on attend...

Quelqu'un frappe enfin. Impatient, Martin se lève pour ouvrir et oublie d'exiger le mot de passe. C'est alors que nulle autre que Suzie se faufile dans le local en brandissant son calepin comme une épée, fière d'avoir percé notre secret.

— Oups, s'excuse Martin. Désolé, les amis!

À voir l'air de Suzie, je crois qu'elle aussi est déçue. Le mythe des justiciers masqués qu'elle a créé vient de s'effondrer. En effet, elle n'a qu'à nous examiner pour constater que les membres de notre club n'ont qu'une seule chose en commun, et qui n'a rien à voir avec la bravoure. C'est tout simplement un problème de poids.

Alors qu'elle demeure pétrifiée et que je ne sais que dire, tous les autres protestent : il y a une intruse dans le local ! Je sens le regard soupçonneux de mes camarades. Chacun sait que Suzie et moi sommes amis depuis que nous avons commencé le projet du site Web... Les mots me manquent. J'aimerais jurer

que je n'ai rien révélé, mais c'est inutile. Tout ce que je suis capable de faire, c'est rougir de honte.

Déjà fini le bon temps! Suzie est maintenant libre de raconter à tout le monde la vérité sur le Club des gros. Elle peut même dévoiler la primeur sur le site Web. D'ici deux ou trois clics de souris, toute l'école sera traversée d'un long éclat de rire. Les moqueries reprendront et gagneront tout le quartier, voire la ville au grand complet. Il me semble déjà les entendre. *Six jeunes du primaire se retrouvent chaque semaine pour faire de l'exercice et pour être en meilleure santé. Ils se sont fait passer pour des superhéros. La bonne blague! Il faut bien se rendre à l'évidence: Batman, Superman et Spiderman n'ont pas de bedaine, eux!*

Gardant son sang-froid, Martin invite Suzie à s'asseoir près de lui et fait de grands gestes pour obtenir le silence. De son côté, Suzie prend une profonde inspiration avant de lancer par-dessus le brouhaha envahissant le local:

— Je veux faire partie de votre société!

Je m'exclame à voix haute:

— Quoi?

Les membres du club se taisent subitement, sonnés par cette déclaration. Même Martin a l'air étonné. Anne-Sylvie finit par dire :

— T'es même pas grosse, tu ne peux pas venir marcher avec nous pour maigrir !

Si Suzie avait encore un doute sur la vocation de notre groupe, ce n'est plus le cas. Je suis officiellement humilié !

Mais Suzie ne perd pas son assurance. Au contraire, elle est souriante :

— Écoutez, je sais que vous ne vous attendiez pas à me voir ici. Jérémie ne m'a rien raconté au sujet de votre société secrète. J'étais néanmoins convaincue qu'il savait quelque chose, alors je l'ai suivi...

Elle m'a suivi ! Comment ai-je éveillé ses soupçons ? Je ne vois vraiment pas. J'ai pourtant été prudent !

Suzie se tourne alors vers moi, comme si elle voulait me convaincre personnellement.

— C'est vrai que je n'ai pas besoin de maigrir, mais est-ce bien nécessaire pour être parmi vous ? Vous avez un problème de poids, mais vous êtes aussi, comme tous les élèves le croient, des superhéros qui améliorent la vie de l'école. Sans oublier que certains d'entre vous sont réellement de très bons détectives.

Elle me fixe. Son regard est intense. Se doute-t-elle que c'est surtout moi qui ai réussi à démasquer le voleur d'ordinateurs?

Martin se lève, emballé:

— Je suis d'accord avec Suzie. Pourquoi ne pas modifier les objectifs de notre société secrète? Vous avez tous une réelle passion pour les enquêtes, pour les énigmes. Je suis certain que nous sommes capables de remplir d'autres missions. Et nous trouverons bien un moyen de faire de l'exercice entre deux aventures!

Le groupe est séduit par le concept. Je respire mieux. Au bout d'un moment et après un vote pour la proposition de Suzie, Martin décrète:

— Maintenant que notre société a décidé d'élargir ses activités, nous avons besoin d'un nouveau nom. Quelqu'un a une suggestion?

Comme nous sommes déjà attachés au sigle C.D.G., nous décidons de ne pas le changer. Ainsi, nous devenons officiellement le *Club des génies* et Suzie est admise dans nos rangs. Ceci, à condition qu'elle garde nos identités secrètes et qu'elle ne se serve pas de nous pour trouver des primeurs !

Bref, à partir d'aujourd'hui, Suzie devra utiliser ses talents de journaliste d'enquête pour nous entraîner vers de nouvelles missions. Je serai l'informaticien en chef du groupe. Les autres membres seront lecteurs, dessinateurs, imitateurs, bricoleurs, etc. Notre potentiel est incroyable ! À la fin de la réunion, chacun est excité de retourner dans sa classe. L'épopée de la société secrète C.D.G. ne fait que commencer.

En sortant du local, j'ai une seconde d'hésitation. Suzie m'en veut-elle d'avoir essayé de la mener en bateau ? Heureusement, ma nouvelle amie efface toutes mes craintes en m'adressant un sourire magnifique et en m'agrippant par la manche de mon chandail.

— Viens, Jérémie, il n'y a pas une seconde à perdre. Il faut que nous trouvions un mystère à la hauteur de notre duo!

Suzie et moi? Un duo? Ça, c'est la grande aventure et j'entends bien en profiter sans regarder derrière moi!

Tant pis pour *Talisman*!

Table des chapitres

Hélène Rompré

À dix ans, Hélène Rompré referme un livre
rempli de magiciens et de fées en décla-
rant : « C'est un livre merveilleux, mais un
jour, je vais en écrire un meilleur ! » Depuis,
elle essaie de tenir cette promesse. Pour
ce faire, elle a commencé par étudier en
communication et en création littéraire,
avant de compléter un doctorat en histoire. Aujourd'hui, elle transmet sa passion pour cette matière ainsi que la lecture
et les langues dans le cadre des cours
qu'elle donne au cégep et à l'université.
Enfin, après avoir publié des articles
scientifiques et des nouvelles dans des
ouvrages collectifs, elle a publié deux
romans pour la jeunesse. Promesse tenue !

Derniers titres parus dans la
Collection Papillon

Illustration : Gabrielle Grimard

Ce livre a été imprimé
sur du papier enviro 100 % recyclé.

Nombre d'arbres sauvés : 2

Ensemble, tournons la page sur le gaspillage.